Este livro pertence a:

....

ÍNDICE

Copyright © 2011 Igloo Books Ltd.,
Direitos exclusivos da edição em Língua Portuguesa
adquiridos por © 2011 TodoLivro Ltda.
Todos os direitos reservados
Ilustração: Garyfalia Leftheri
Texto: Melanie Joyce
Tradução e adaptação: Ruth Marschalek
Revisão: Helena Cristina Lübke
Impresso e produzido na China

HISTÓRIAS PARA CRIANÇAS DE 5 ANOS

A Melhor Toca do Mundo

Malu vivia com sua Mamãe perto de uma grande floresta.
"Posso construir uma toca na floresta hoje?", perguntou Malu.
Mas Mamãe balançou sua cabeça e disse: "Você não pode ir
para a floresta sozinha, Malu. Estou um pouco atarefada para
ajudá-la a fazer uma toca hoje. Talvez a façamos amanhã".
Malu ficou um pouco desapontada, então foi até a casa ao lado
para ver se sua melhor amiga Mimi queria brincar.

Malu e Mimi brincaram de pegar e foi divertido.
Mas então a bola rolou direto para os limites da floresta.
"Parece tão encantador e bonito ali", disse Malu.
"Eu não estou sozinha, então tenho certeza de que Mamãe
não se importaria se dermos uma olhadinha".
E, assim, ela adentrou a floresta com Mimi seguindo atrás.

POR TODO LADO, PÁSSAROS GORJEAVAM E FOLHAS FARFALHAVAM. "VAMOS CONSTRUIR UMA TOCA", DISSE MALU, E CORREU ATÉ UMA ÁRVORE GRANDE E ANTIGA PARA APANHAR GRAVETOS. MAS NO ALTO DA ÁRVORE ALGO ESTAVA SE MOVENDO. DE REPENTE, HOUVE UMA BATIDA ALTA E UMA PANCADINHA, DEPOIS UM BARULHO DE PERFURAÇÃO E PANCADAS. "O QUE É ISSO?", DISSE MALU, COBRINDO SEUS OUVIDOS.

"É UM MONSTRO!", GRITOU MIMI, APONTANDO ACIMA PARA UMA SOMBRA
NO TRONCO DA GRANDE ÁRVORE. "AGORA ELE ESTÁ SE MOVENDO!"
MALU PULOU PRA CIMA E OLHOU PARA A SOMBRA.
"RÁPIDO, CORRA!", ELA GRITOU.
ENTÃO AS DUAS AMIGUINHAS FUGIRAM DEPRESSA, TÃO RÁPIDO QUANTO PODIAM, SOBRE
AS FOLHAS, ENTRE AS ÁRVORES, ADENTRANDO AINDA MAIS NA FLORESTA SOMBRIA.

Quando elas pararam, Malu olhou ao redor e disse: "Onde estamos?"
"Eu não sei", respondeu Mimi, "mas eu quero ir pra casa agora, estou com medo".
Malu estava um pouco assustada também.
Mas então ela ouviu alguém chamando:
"Malu, Mimi, onde estão vocês?"
Era Mamãe, ela tinha vindo procurar Malu e Mimi.

"Eu lhe disse para não entrar na floresta", disse Mamãe, abraçando-as apertado.
Malu contou à Mamãe sobre a toca e o monstro na árvore.
Mamãe apenas sorriu e disse: "É só o pica-pau.
Ele não é nem um pouco assustador".
Então Mamãe segurou as mãos delas. "Venham, vocês duas", disse ela.
"Vamos para casa e nós todos faremos um toca juntos".

Em casa, Mamãe pegou todas as coisas úteis para fazer uma toca.
Havia velhos lençóis desgastados, e macios cobertores de lã.
Ela até tinha almofadas e um antigo conjunto de chá de louça.
Logo, Malu e Mimi estavam sentadas, aconchegadamente,
em sua toca novinha em folha.

Mamãe trouxe para elas suco e um prato de biscoitos.
"Estou contente que vocês estejam a salvo novamente em casa", disse ela.
"Eu quero que vocês prometam que nunca mais irão à floresta sem um adulto".
"Nós prometemos", disseram Malu e Mimi. Tinha sido muito empolgante
na floresta, mas em casa elas tinham a melhor toca do mundo.

A Roupa de Bailarina de Tânia

Tânia queria parecer uma bailarina de verdade,
então ela deu uma busca minuciosa em seu baú de roupas e fantasias.
Mas a velha saia de Mamãe estava esfarrapada e rasgada.
As sapatilhas de balé grandes demais estavam gastas e usadas.
"Eu não pareço uma bailarina de verdade de jeito algum", disse Tânia.
Depois, duas grossas lágrimas rolaram pelas suas bochechas.

"QUAL É O PROBLEMA?", PERGUNTOU MAMÃE.
"EU NÃO SOU UMA BAILARINA DE VERDADE", LAMENTOU TÂNIA,
ENQUANTO ELA ASSOAVA E FUNGAVA.
ENTÃO, MAMÃE SÓ LHE DEU UM GRANDE E FORTE ABRAÇO.
"NÃO SE PREOCUPE", DISSE ELA, SORRINDO.
"VENHA COMIGO. EU VOU AJUDÁ-LA A PARECER UMA BAILARINA DE VERDADE".

MAMÃE LEVOU TÂNIA PARA VER SUA AMIGA, LENA.
TÂNIA E LENA BRINCARAM NA CAIXA DE AREIA E CONSTRUÍRAM CASTELOS
DE AREIA ENQUANTO SUAS MÃES BATIAM PAPO NA COZINHA.
QUANDO CHEGOU A HORA DE IR EMBORA, TÂNIA PERCEBEU QUE MAMÃE ESTAVA
SEGURANDO UM PACOTE CUIDADOSAMENTE EMBRULHADO. "O QUE É ISSO?",
ELA PERGUNTOU. MAS MAMÃE APENAS DISSE: "É UMA SURPRESA".

Em seguida, Mamãe levou Tânia para a casa de Bimbo. Tânia e Bimbo brincaram por horas nos balanços e no escorregador. Tânia estava se divertindo tanto que esqueceu tudo sobre sua roupa de bailarina. Depois, Mamãe saiu com uma caixa misteriosa. "O que é isso?", perguntou Tânia. "É uma surpresa", disse Mamãe. "Venha, está na hora de ir".

EM CASA, MAMÃE ABRIU A CAIXA. "A MÃE DE BIMBO TINHA ISSO NO SÓTÃO", DISSE ELA.
A CAIXA ESTAVA CHEIA DE TECIDOS COLANTES DE SEDA, BOTÕES,
MIÇANGAS E FITAS BRILHANTES COR-DE-ROSA.
"NÓS VAMOS USAR TUDO ISSO PARA FAZER PARA VOCÊ UMA
ROUPA DE BAILARINA MUITO ESPECIAL", DISSE MAMÃE.

ENTÃO MAMÃE
DEU PONTOS E COSTUROU,

E TÂNIA FIXOU
AS LANTEJOULAS.

Por fim, a roupa de bailarina de Tânia estava concluída.
Ela era cor-de-rosa, com babados e muito brilhante.
Tânia olhou-se no espelho. "É adorável, obrigada, Mamãe", disse ela.
Daí Mamãe desembrulhou o pacote de formato esquisito. "Estas sapatilhas
são pequenas demais para Lena", disse ela, "então ela os deu para você".
Tânia estava muito feliz. "Eu quero dançar e dançar", disse ela.

Naquele momento, a campainha da porta tocou.
Eram Lena, Bimbo e suas mamães.
"Surpresa!", elas disseram. Lena tinha vestido sua roupa de bailarina e
Bimbo tinha trazido música. "Agora que você ganhou a sua nova roupa
de bailarina nós podemos montar uma apresentação", disseram eles.

Naquela tarde, Tânia dançou em sua nova e adorável roupa de bailarina.
Ela ficou na ponta dos pés, ergueu seus braços e agitou suas mãos.
Depois, ela girou e rodopiou até terminar com um agradecimento gracioso.
Todos aplaudiram e vibraram. "Muito bem, Tânia", disseram eles.
"Agora você é mesmo uma bailarina de verdade!"

Os Pinos da Barraca

Danilo e Valdo queriam ter aventuras e ficar fora a noite inteira, igualzinho aos personagens em seus gibis. Então eles desceram as escadas para perguntar à Mamãe e ao Papai se eles podiam. "Tudo bem", disseram Mamãe e Papai, sorrindo um para o outro, "nós montaremos uma barraca para vocês no quintal".

PAPAI PROCUROU EM UM ARMÁRIO E RETIROU UMA VELHA BARRACA E
UMA SACOLA CHEIA DE ESTACAS E PINOS.
"AQUI ESTÁ", DISSE ELE. "ESTA É UMA BARRACA PARA AVENTUREIROS DE VERDADE",
E ELE FOI AO QUINTAL PARA MONTÁ-LA.
DEPOIS MAMÃE DEU PARA DANILO E VALDO ALGUNS SANDUÍCHES E
UMA GRANDE GARRAFA DE SUCO DE LARANJA.
"ISSO É PARA O CASO DE VOCÊS FICAREM COM FOME", DISSE ELA.

LÁ FORA, NO QUINTAL, DANILO E VALDO SE ACOMODARAM NA VELHA BARRACA.
"ISSO É EMPOLGANTE", ELES DISSERAM. EM SEGUIDA, OS DOIS SE SENTARAM E
ESPERARAM. LOGO O SOL COMEÇOU A SE PÔR E SURGIRAM SOMBRAS,
COMO LONGOS DEDOS CRUZANDO O GRAMADO.
ENTÃO, O CÉU FICOU ESCURO E A NOITE SE INSTALOU.

"Brrrr...", disse Valdo, tremendo. "Está um pouquinho frio. Vamos comer alguns sanduíches e beber um pouco". E, assim, eles comeram com gosto seus sanduíches e beberam seu suco. Danilo e Valdo estavam mesmo apreciando-os quando houve um sussurro e um piado lá fora. E então algo grande passou voando pela barraca.

"O QUE FOI ISSO?", DISSE VALDO, LIGANDO SUA LANTERNA. MAS NÃO HAVIA NADA LÁ FORA. ENTÃO, ELES SE ACONCHEGARAM EM SEUS MACIOS SACOS DE DORMIR. TUDO FICOU QUIETO POR UM TEMPO. DAÍ VALDO VIU ALGO RASTEJANDO NA BARRACA. MAS NÃO HAVIA APENAS UMA COISA — HAVIA UM MONTE.

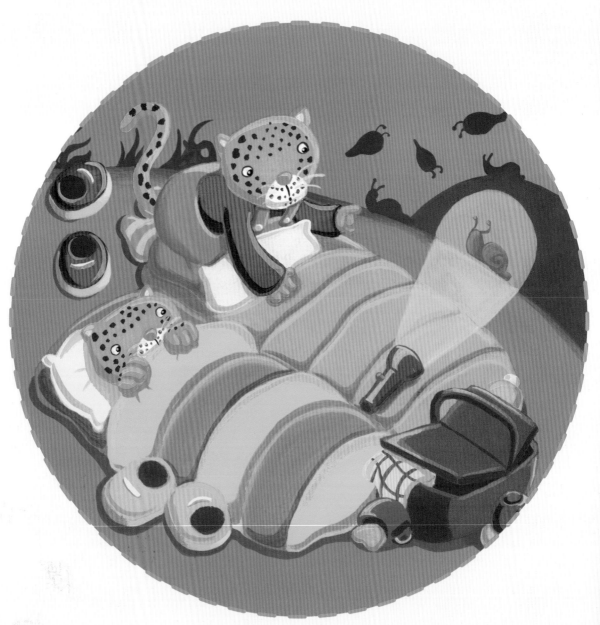

"Eca! Monstros rastejantes!",
disse ele, saltando e agitando sua lanterna.
"Eu não gosto de ser um super-herói", disse Danilo.
"Está frio demais e estou assustado".
De repente, a porta da barraca se abriu.
"Eu apenas vim ver se vocês estão bem", disse Papai.

"Não! Não estamos bem!", disseram Danilo e Valdo.
Eles contaram para Papai tudo sobre o piado e os monstros rastejantes.
"O piado era apenas uma coruja", disse Papai. "E os monstros são só
lesmas do quintal. Se vocês estão preocupados, eu posso ficar aqui fora
e fazer companhia a vocês".

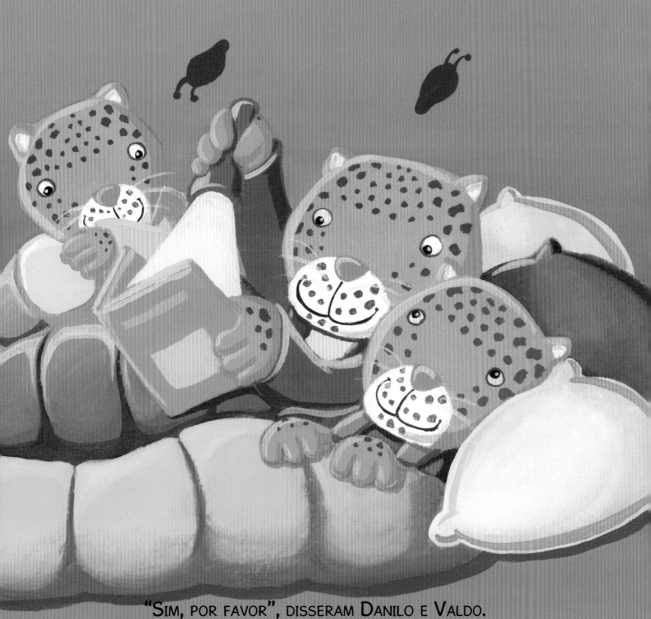

"Sim, por favor", disseram Danilo e Valdo.
Então Papai pegou seu saco de dormir e todos eles se aconchegaram.
Em seguida Papai lhes contou histórias à luz da lanterna.
Logo, todos estavam aconchegados e quentinhos.
"Obrigado, Papai", disse Danilo.
"Obrigado", disse Valdo. Agora eles se sentiam aventureiros de verdade.

A Aventura de Nino

Nino, o golfinho, estava brincando de esconde-esconde
entre o coral com sua melhor amiga, Sofia, o tubarão.
"5... 4... 3... 2... 1... lá vou eu!", disse Nino, dobrando sua cauda e
indo procurar sua amiga. Nino procurou por toda parte,
entre as algas sibilantes e o coral brilhante,
mas ele não conseguia encontrar Sofia em lugar algum.

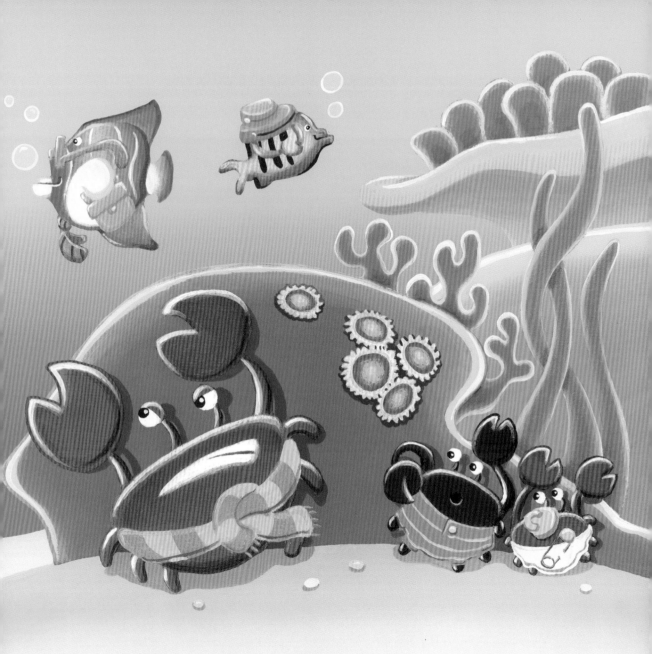

DE REPENTE, HOUVE UM BARULHO DETRÁS DE UMA ROCHA.
"ACHEI VOCÊ, SOFIA!", GRITOU NINO, REMEXENDO SUA CABEÇA.
MAS NÃO ERA SOFIA, ERA UM CARANGUEJO ERMITÃO QUE BELISCOU,
FURIOSAMENTE, COM SUAS GARRAS GIGANTES.
"OH, NÃO!", DISSE NINO, PARTINDO ÀS PRESSAS PELAS ALGAS MARINHAS.

Naquele instante, um cardume em espiral de peixes prateados passou ligeiro. "Olá", disse Nino, "vocês viram a minha amiga, Sofia?" Mas o cardume debandou.

"Rápido, nade para longe, ele está vindo!", eles gritaram.

"Quem está vindo?", perguntou Nino. Então ele viu a enorme sombra de uma grande baleia-azul nadando em sua direção, com sua boca bem aberta.

"Ó, céus", DISSE NINO, E SUA CAUDA SIBILANTE ESTREMECEU E SUAS PEQUENAS BARBATANAS TREMERAM. ENTÃO, COM UMA PANCADINHA, ELE SE LANÇOU EM DIREÇÃO AO CARDUME PRATEADO. "ESPEREM POR MIM!", GRITOU ELE ENQUANTO VIU OS PEIXES DESAPARECEREM DENTRO DE UM GRANDE E ESCURO NAVIO NAUFRAGADO QUE JAZIA NO FUNDO DO MAR.

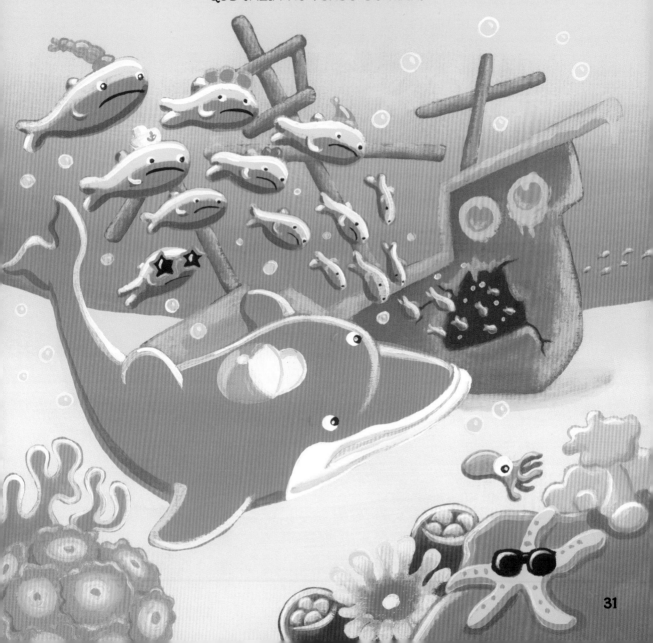

Mas não havia sinal dos peixes dentro do navio naufragado.
Tudo estava quieto. Então, houve um som de 'glup' estranho.
"Olá", disse Nino, "tem alguém aí?" Mas ninguém respondeu.
O navio naufragado estava cheio de formas estranhas e sombras
oscilantes. Repentinamente algumas delas começaram a se movimentar.

Um polvo de olhar atravessado saiu das sombras, agitando seus tentáculos para lá e para cá. "O que você está fazendo aqui?", ele disse. "Este é o meu navio e ele pertence a mim. Vá embora".
Em seguida, o hostil polvo balançou seus tentáculos compridos e ondulados como se fosse tocar o pobre Nino embora.
Inesperadamente, no fundo do navio naufragado, uma outra coisa se mexeu.

"Com licença", disse uma voz. "Este navio naufragado pertence a todos".
Era a amiga de Nino, Sofia. Ela estava se escondendo nos destroços o
tempo inteiro. Quando o polvo viu o quanto ela era grande, saiu nadando
sem dizer uma palavra. Nino estava muito feliz por ver sua amiga.

"Venha, Nino", disse Sofia. "Vamos brincar em casa".
Nino estava muito aliviado. Ele amava brincar de esconde-esconde,
mas definitivamente teve agitação suficiente para um dia!

Juca, o Ajudante

Certo dia, Mamãe estava ocupada demais
fazendo o trabalho doméstico para brincar com Juca.
"Talvez se eu fizer coisas para ajudar Mamãe", disse Juca,
"ela terá tempo para brincar comigo".
E assim ele foi ao armário e pegou o aspirador de pó.
"Eu vou deixar o carpete limpinho, assim como faz a Mamãe",
disse ele, apertando um botão redondo.

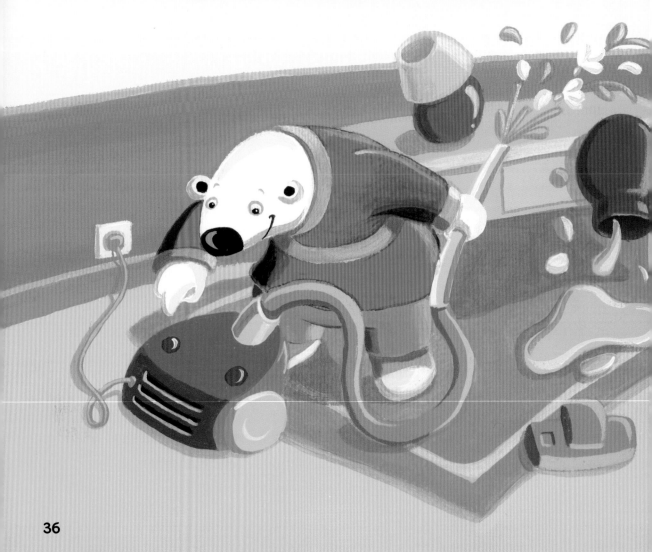

Inesperadamente, houve um vupt e um flatch e todas as flores no vaso marrom de Mamãe desapareceram dentro do tubo comprido e prateado. Depois o vaso balançou pra lá e pra cá e tombou sobre o carpete. "Eu não gosto do aspirador de pó", disse Juca, e, apertando o botão novamente, ele correu para fora.

ESTAVA ENSOLARADO E QUENTE NO QUINTAL.
"TALVEZ EU POSSA AJUDAR A MAMÃE REGANDO AS VERDURAS", DISSE JUCA.
ENTÃO ELE FOI ATÉ A TORNEIRA COM A MANGUEIRA PRESA E GIROU E ROSQUEOU,
MAS NADA ACONTECEU. EM SEGUIDA JUCA ESPIOU COM UM OLHO
A MANGUEIRA ESCURA E COMPRIDA.

Houve um gorgolejo e um solavanco, e então um gigantesco **SPLASH** e a água irrompeu em uma rajada forte. A mangueira sacolejou e agitou feito uma cobra verde e comprida. O pobre Juca a perseguiu pra lá e pra cá.
"Estou ficando muito molhado", disse ele.
"Acho que vou fechar a torneira".

Naquele momento, Pingo, o melhor amigo de Juca, apareceu no portão. "Se você não estiver ocupado hoje", disse ele. "Você quer vir e brincar?" "Sim, por favor", respondeu Juca e correu para o portão. Mas a grama estava molhada por causa da mangueira e Juca deslizou e escorregou com um vupt direto no canteiro de verduras enlameado.

Pingo deu uma risadinha. "Nossa, Juca!", disse ele.
"Você está bem enlameado. É melhor ir contar à sua mamãe".
Foi então que Juca ouviu uma voz alta chamando.
"O que você andou fazendo, Juca? Minhas flores sumiram,
o vaso está quebrado e o carpete está todo molhado!"

Juca retirou-se encabulado para a cozinha, pingando.
"Eu só queria ajudar, então você teria tempo para brincar comigo",
disse ele, começando a chorar.
"Obrigado, Juca", amenizou Mamãe, com sua mais suave voz.
"Você é um pouquinho pequeno para fazer o trabalho doméstico todo
sozinho. Talvez, da próxima vez, o façamos juntos".

Naquela tarde, após Juca ter vestido roupas secas e apropriadas,
Mamãe fez algo superespecial, bolachas deliciosas.
Pingo veio e todos eles se divertiram bastante.
Ser o ajudante era muito bom, mas não era nem de longe
tão empolgante como brincar de esconde-esconde.

Guido e as Bolachinhas

Guido adorava bolachinhas. Ele achava que as melhores bolachas eram as crocantes e amanteigadas com deliciosas gotas de chocolate dentro. Toda noite, depois do jantar, Mamãe deixava Guido comer uma bolacha como um presentinho. Guido sempre queria mais uma, mas Mamãe dizia: "Não, Guido, você não deve comer bolachinhas demais".

CERTA NOITE, GUIDO VIU QUE MAMÃE HAVIA ESQUECIDO
DE COLOCAR O POTE DE BOLACHAS DE VOLTA NO ARMÁRIO.
"VOU SÓ DAR UMA EXPERIMENTADA", DISSE ELE, PEGANDO UMA DENTRO DO POTE.
ELE MASTIGOU E MASCOU E LOGO UMA BOLACHA INTEIRINHA SE FORA.
ENTÃO GUIDO PEGOU MAIS UMA E DEPOIS MAIS OUTRA. E, ASSIM, COM SUA
BARRIGUINHA TOTALMENTE CHEIA, SE ARRASTOU ESCADA ACIMA PARA A CAMA.

Na cozinha, Mamãe encontrou o pote de bolachas vazio.
Pelo chão da cozinha inteira havia um rastro de migalhas achocolatadas,
amanteigadas e crocantes. "Hummm...", disse Mamãe, "Fico imaginando quem
está acabando com as bolachas do pote? Eu acho que posso adivinhar quem",
e ela seguiu o rastro de migalhas por todo o caminho escada acima.

No quarto de Guido, havia alguns sons muito estranhos
vindos debaixo da colcha. "Uau, ai, ui", gemia uma pequena voz.
"Qual é o problema, Guido?", disse Mamãe.
"Estou com dor de barriga", respondeu Guido,
saindo debaixo das cobertas, "e está doendo".
"Bem, Guido", disse Mamãe, delicadamente.
"Agora você sabe por que não é bom comer bolachinhas demais".

Por sorte, Mamãe tinha um remedinho especial para fazer a dor de barriga de Guido ir embora. Logo ele estava em sua cama, bem aconchegado e quentinho. "Obrigado, Mamãe", disse Guido enquanto se arrumava para dormir.
Mamãe gentilmente lhe deu um beijou de boa-noite e desligou a luz. Depois disso, Guido nunca mais comeu bolachinhas demais.